Yevtushenko's poetry is direct, spirited, but subtle and often surprising in the use of words, rhythms, and rhymes. Yevtushenko is very much a man of his time; his outlook is humane and, though thoroughly Soviet, undogmatic. He has many times clashed with official literary circles, but his toughness and popularity have held him in good stead. In his verse he gives equal weight to public and personal themes.

These translations present aspects of Yevtushenko's poems which are as yet little known to the English-speaking public; these are probably the poems for which Yevtushenko will be remembered in the future. The translators, Peter Levi and Robin Milner-Gulland, are friends of the author.

POEMS chosen by the author

POEMS

chosen by the author

YEVGENY
YEVTUSHENKO

translated by
PETER LEVI
and
ROBIN MILNER-GULLAND

 HILL AND WANG · NEW YORK

© in the English translation
The Harvill Press, London

Published in the United States of
America by Hill and Wang, Inc.

Library of Congress catalog card number: 67–14647

First American edition April 1967

Manufactured in the United States of America
234567890

Introduction

Poetry is well known to be that which is left out when verse is translated. Many translators seem to find this hard to believe, and continue to hope that original poetry will somehow magically rub off on their versions. But it never does, and the painstaking ingenuity with which they usually manage to imitate their poet's rhyme and metre cannot prevent their finished products from being (as Robert Lowell has succintly remarked) stuffed birds, examples—sometimes expert ones—of taxidermy rather than poetry. The translator of verse should admit to facing a stark choice. Either the poetry goes, and he makes an utterly accurate translation of the prose sense. Nabokov's *Eugene Onegin* is one of the finest examples of this approach, and for literary quality and plain readability it towers over the taxidermy of all previous translators. (Though it should be noted that translation into good prose can present some of the same aesthetic problems as those described here, even if less obviously.) The other possibility is to put the poetry back in. It will not be the *same* poetry, which disappeared irretrievably with the original language. But it can be an equivalent—a cousin, perhaps, rather than a twin of the original—and in the very different circumstances of a different literature, with different poetic conventions and a different language-structure it can retain an indefinable family resemblance. Only a poet can do this, and he will be writing his own poetry, as he will never be able to put himself in another man's skin and still remain true to his own talent. But this need not exclude faithfulness to the prose sense, the poetic spirit and even the imagery of the original: they are the obvious and indispensable foundations on which the new poem is constructed.

We venture to suggest that the most memorable translations into our language are of this kind: whether by Dryden, Pope, Fitzgerald or, in this century, such writers as Lowell, Michael Hamburger, Edwin Morgan, Donald Davie or Ezra Pound. It is instructive, if one wishes to trace the elusive relationship between a translated poem and its original, to consider Pound's practice as described by the critic Hugh Kenner: 'Translation does not, for him, differ in essence from any other poetic job; as the poet begins by seeing, so the translator by reading; but his reading must be a kind of seeing.' A kind of seeing, one might add, that should spring from an instinctive feeling of emotional kinship from one poet towards another.

The translators of this volume have attempted to work in this way. It would be as absurd to match our efforts against the masterpieces of Fitzgerald or Lowell as it would be to place Yevtushenko next to Pushkin or Mayakovsky. But we feel our venture may be worth while, not merely from private conviction (we began to translate Yevtushenko with no idea of wider publication) but through the most generous response of the public, and the understanding attitude of critics we respect, to a small book of versions from Yevtushenko we produced some four years ago on the same principles as this one. The demand for poetic translation, perhaps surprisingly, exists. Still more surprising and welcome seems to be the desire of the—traditionally insular—English poetry reader to get to know the work of a young man writing in the very different cultural circumstances of Soviet Russia, who, with all his merits and failings, is perhaps the archetypal Russian author of the last decade. It should be mentioned that these versions are the result of cooperation between an English lover of poetry who is a teacher of Russian and a working poet who knows little of the language. This type of cooperation is slow, difficult but has unexpected rewards.

Many readers will be familiar with the basic outline of Yevtushenko's career and his place in Soviet literature. Let it suffice to mention that he was born in 1933 in Siberia, at the small town of Zima (which means 'Winter') on the Oká river, of mixed background: peasant–intellectual, Russian–Latvian–Ukrainian. He grew up partly in Zima but mostly in Moscow; he was a precocious versifier, but launched seriously into poetry as his life's work only after a somewhat unsuccessful student career at the Literary Institute in the capital. The flowering of his talent coincides with the so-called Thaw in Soviet literature after Stalin's death. The chief characteristics of Russian poetry since that time (exemplified in Yevtushenko) have been: a reintroduction of private, personal, lyric themes; an intense and enquiring concern with public duty and the nature of individual morality—above all the question of honesty; a willingness to examine the disheartening and contradictory aspects of life; a degree of formal liveliness and experimentation. The chief poets of the earlier part of our century have again taken their rightful place as influences upon the new poetry: those who have particular meaning for Yevtushenko include Mayakovsky and his disciple Semyon Kirsanov, Blok, Yesenin, Zabolotsky and Pasternak (whom he knew personally). A great deal of new poetry is published in the Soviet Union, and much of it does not live up to the promise implied by the factors I have mentioned. This is equally true inside the corpus of Yevtushenko's own work. But literature at least has a status of healthy importance in the USSR; and it is the *best* that is produced which ultimately counts.

The name of Yevtushenko is no longer the esoteric plaything of Kremlinologists, unknown to the general English-speaking public, as it was when his work fired the interest of the present translators more than five years ago. His fame has spread quickly and with it the exaggerations, absurdities and misrepresentations that go with modern publicity. These are ephemeral, and thus no worse than annoying. More important is the good that Yevtushenko's poetry and presence have done in helping us to feel again (it was hard enough) that Soviet writers are part of the community of literature, that Soviet life unrolls on the same planet as our own. The greater the interest aroused in the man, the more important it has seemed that his actual work should not escape from view; a feeling which the poetry-reading public has happily shared. It is thus without apologies that we offer these new versions, in the hope that they may help to build up the picture not, save obliquely, of a socio-political phenomenon, but of Yevtushenko the working poet.

In 1962 the press of several Western countries, perhaps following the lead of *Time*, took up Yevtushenko, and since then have never completely dropped him. The build-up was grossly inflated, on the

Continent above all (under a headline *Evtouchenko Le Prophète* one could wallow in . . . 'ce phenomène prodigieux, ce mélange de dinamitero, d'Elvis Presley et de Pouchkine, ce pin-up boy aux mots chargés de désir ou de foudre, ce promeneur tempétueux et désinvolte, gourmand et pur . . .'). The reaction was predictable, indeed understandable: scornful dismissal in certain Western quarters of all Yevtushenko's claims as an artist or even man of integrity; Soviet insinuations that he had sold his soul to the devil. The anti-liberal moves in the Soviet artistic world early in 1963 complicated his position further. Reports were sketchy and contradictory: had he compromised his standing with the intelligentsia? Had he stood up boldly against Khrushchov? Would he ever be allowed to publish or recite again? The Western reader must have gained a confused notion of his significance as a writer, and rôle in Soviet society. Fortunately a certain normalisation of his position seems to have come about since 1964. He has not been often in the headlines recently; a situation which could indicate more auspicious circumstances both for his own development as a poet and for Russian society as a whole.

What has in fact happened in Yevtushenko's literary activity in the past three years or so? The outstanding event has been the publication—originally in France—of his *Precocious Autobiography* (Collins and Harvill 1965). This exciting work has a whiff of midnight oil about it: in journalistic style, direct, sometimes clumsy, sometimes aphoristic, it contains splendid 'set pieces' of prose (as on Stalin's funeral) juxtaposed with passages that sometimes seem naïve, sometimes elliptic and hard for the Western layman to understand without assistance. It contains reflections on Russia and its revolution which have been misrepresented and attacked in both the East and the West. His second major work has been a long poem-cycle named (forbiddingly and in some ways irrelevantly) after Bratsk, the great dam and electric-station near Zima which when complete will be the pride of Soviet industry. The cycle of poems is a most ambitious, perhaps over-ambitious, dialogue on the positive and negative tendencies in man's history. In addition he has published (irregularly, in accordance with his variable standing in

[8]

the USSR) a fair amount of shorter lyrical and polemical poems and a couple of collected volumes.

The poems we have chosen here (acting largely on the poet's own advice) date from his early to his late twenties. They show the variety of his themes and interests; in particular they show sides of his talent other than the political (and perhaps ephemeral) qualities that lent topical importance to such well-publicised pieces as 'Babiy Yar' and 'Stalin's Heirs'. If Yevtushenko's reputation as a poet will survive, it is on poems such as these—lyrical, reflective, light-of-touch, rather egotistical, yet simultaneously outward-looking— that it will largely rest. The reader of Russian will be able to find the original texts we have used (there are variants in different editions) after the English versions; he will be able to savour the rhymes and rhythms which, for all their appropriateness to the Russian, we have had to jettison as unworkable in modern English poetry. Let the man who objects turn to Yevtushenko's own poem 'O perevodakh' ('About Translations') in *Luk i Lira*: 'Yest' tochnost' zhalkikh shkolyarov/no yest' i tvorcheskaya tochnost'!' ('There exists a pathetic, schoolboyish type of exactness—but creative exactness exists as well').

Robin Milner-Gulland
University of Sussex,
January, 1966

Note. The interpretation of the text is ultimately our own; but we should like to record our thanks to Mrs Manya Harari for her careful reading of our rough versions and her many suggestions.

R. M-G.
P. L.

[9]

Contents

The Poems in
English translation

1

Christmas on Montmartre

A sudden Christmas. I am in Montmartre
without a friend and without family.
Slush underfoot, the air snowy as spring,
confetti settling inside my collar.

I am familiar to no one, needed
by no one, who or what I am
troubles no one. In a lighted shed:
this woman in a tank, diving for coins.

Flushed eyes, chlorinated water.
Leave her money. I am unable
to clap, I am frightened
both for myself and for humanity.

I am frightened. I say frightened,
at being pimped and pestered by a child.
And the old woman banging the old tune
in contortions past nature terrible.

And exquisitely formalinised
the dead dolphin slumped over the planks,
separated from which a single eye
looks back at it with sad humanity.

Side-show: a small-scale surprise:
sleepily the drunkards stumble in;
two women colder than ice
strip for a shilling to the skin.

Whenever the door swings open
damp and flying snow blows in,
behind scene two women take
pulls of brandy now and then.

The Maze.
Attraction.
People inside are sweating their way out,
threading the logarithmic passages.

Boys and girls push by.
The passages have dispersed everyone.
A hell of an attraction.
Its name is human life and what it does.

Through the squeals of laughter and dancing
an old man walks steadily past
leading a dachshund on the dangerous stones
like human longing on a string.

A gentleman in a dinner jacket
wanders by in an alcoholic haze.
So many, many lonely people.
I am terrified. I am terrified.

Everyone is alone. Everyone
is alone. Twentieth century.
Under the snow confetti this city
is raddled and it is alone.

Verlaine

The guide was quoting Verlaine to me:
in one gesture of easy fine feeling
he swept his hand over Paris,
under the rustle of the thin rain.
The verses are irrecoverable,
they ripple like water lit by stars.
'The sound of it, sir, is beautiful.'
I nod, I say the sound is beautiful.
Paris forgets. Verlaine in vellum
standing as if by the decree of God
stiff on the book-shelf of the bourgeoisie.
How beautiful it is with gin and lime
in prospect of a good night of sleep,
that short, discreet reading aloud.
Proper to do some honour to Verlaine.
And beautiful?
                    Beautiful.
                              But this
as I remember not as you remember
belongs to you and I return you it.
Verlaine afflicted you. I do not know you.
That misfit of your false pieties
inflamed with alcohol—wrong, you remarked.
Am I too hasty? You distort your faces.
Beautiful?
It murdered him by inches.
He was assassinated. Jeers hit at him
from the street-corners. Your kind of
morality consumed him to ashes.
Oh tight drum-bellies drinking to Verlaine!
—these poet-murderers are poet-quoters.

Maupassant

The black roof of a cab is glistening,
Paris drenches in pigeon-grey rain,
a girl like a frost-eaten violet
presses herself in under a cornice.
Trees cracking and bending. He travels
like one expected in a drawing-room.
He is ready. He will be Georges Duroy.
He knows his part, will take off his top-hat,
will drop his gloves in it, and will measure
his mirrored image with one glance.
And the room will be ringing with music.
Naked hearing, a naked sense of touch
between the porcelain and the pilasters
cutting among dancers thin as a knife;
will weave from Madam Walter to Suzanne.
It has to happen, it has to happen:
will whisper through the general conversation,
will wear a smile, make her a gay, shameless
bow, tickle her hand with his moustache.
And moving here and there infuriating
now this girl now that, he understands
by accurately careful calculus.
This cannot be reduced to vanity.
Moving from chair to chair is not vanity
of vanities, insolent fingers
twisting around the glittering alcohol
flowering on its stem are not so,
his coloured buttonhole is not so,
the dandy gesture, late night umbrella
out in the street to cover someone's hat
is not in vain.
           Now home.

Books, ink, paper. Now work.
The unbearable boredom of that game!
He is as sober as a greengrocer.
In his fireplace flame licking the wood,
outside the window Paris non-existent
(not a face, nothing, not a roof)
is what he shall create. The damp wood splutters.
He works into his story. Duroy's coat
is over the back of Maupassant's chair.

Girls in Paris

The girls that there are in Paris
(Hell!—hell would be happy to have them!)
are like the blinding firework salvos in
some street warfare of bright explosions.
It is a war: to move about like queens
and feeling it in your entire body,
this street war is to be beautiful,
this street war is to be queen of Paris.
The girl in cowboy trousers on the street
has hair of azure blue. We crane halfway
out of the bus, set the guide's head shaking;
our styled up girls lack conviction,
this is a new thing, this is a chaos.
One of the delegates' mouths is gaping,
he has forgotten his official face.
They swing masterly hips.
They sail like enigmatic Buddhas.
They stand like straws in long glasses
inside transparent telephone boxes.
Take that one with the fur hat and the red
lock of hair creeping from underneath it,
who was her father, where does she come from?
Paris itself is her father.
And what kind of woman is this one
walking in freezing weather in Montmartre?
The whole of France could not afford this woman.
Understand that, you streets!
And you are thoughtless of frontiers,
you are destiny, you walk through Paris
with Krasnoyarsk granite in your eyes,
the scar is just visible under your lip.
You walk sternly in the splendid hubbub,

and if I were this city then Paris
would offer you his apple like Paris,
but I am no Paris unhappily.
The girls in Paris! Tch!
The torrid girls in Paris!
You have no need to frown, in all Paris
know this, you are the true Parisian.

When Blok comes to my mind, when
I grieve about him, what I remember
are not the verses of his poetry,
but a carriage and a bridge and the Neva,
and riding by above the night voices
that deeply minted figure, the grey hair,
the darkening circles of his panic eyes
and the black silhouette of his frock-coat.
A chaos of shadows and of lights
flying at him, stars crushed in the road,
and something terrible about the twist
of his long-fingered, wax-pale hands.
Like some obscure, ominous overture,
the thudding carriage on the cobble-stones,
Blok and the storming clouds melt to vapour.

6

He came back after a long time away,
to drink among the jostle and gossip:
in years my father, by vocation brother,
a dismal droop of hair, a baggy coat.
I watch the details of his hands.
They tell me everything about him,
and his brow-jutted eyes read my soul.
He has no digs, he doesn't eat a lot,
his wife married I think it was a jockey
(I ask him no questions about that).
He speaks about that woman
with a terrible dead simplicity.
He gulps the wireless and the newspapers.
His whole self has the breath of character,
it hums with interest . . .
Starved of success, savagely hurt,
he is still your convinced,
your obstinate believer, Revolution.
I am troubled. I am unable to speak.
And he gets on his black leather jacket
and walks outside into the storming snow.
I am hurt, I am not crushed.
I am alive and fighting.
I envy nobody, am not afraid.

Railings

TO V. LUGOVSKOY

The railings are plundering the grave.
It has been isolated by railings.
From lorries tearing thunder,
pears, clouded agate berries, hail beating:
what had met in him, was racing in him,
was struck sparking under the crazy hooves.
It was wildness, existence.
No peace. The battles were existence.
It was the banging springs, exploding whinnies,
quiet lakes, the crashing ice, hectic
bazaars, churches and gardens
breaking like surf, the piled towns.
He walked. He left someone else to fuss.
His step was strong and light, white
hair, the artist, a sailor's swarthy cheeks,
Pushkinian, wilful, magnanimous,
when he was festooned with unhappiness
he was the wide and boyish smiling face
on the martyrdom of these times.

I know the peaceful grave
is no harbour for tired human faces,
but a forever furious true north
of boys
        of flowers
                of seeds
                        of birds.
The railings are plundering the grave.

I notice
in the absolute autumnal silence
two pine-trees like sisters close together,

one of them either side of the railing.
They sway irrepressibly, accuse
the railing; the one growing inside
stretches long arms to its sister
which is outside. The axe won't end it.
Cut the thin branches and they cluster thick.
It seems to me they are his arms
reaching out at people and pine-trees.
There have been those whose lives rang in others,
no railings can enclose them
from happiness or from unhappiness.
No railing can do it.

Miners' saloon

Young and desperate
I unsaddle my horse
at the crooked paling
by the miners' saloon.
I scrape my shoes clean
on the iron scraper,
get myself a shot
and a tobacco paper.

Two dark local men
drink tea steaming.
There is some travelling
student group singing.
A weird little old man
sits in the next seat,
homely, comic,
is rambling through some long
tale how a gold nugget
appeared to him hanging
in the blue haze of fumes
over a whisky still;
after the hundredth mile
he opened his knapsack
and banged this nugget down
on the scales of the pub,
and set off round
with a crowd of cheeky girls
in embroidered leggings . . . .

And desperate and young
I sit by my table
in the miners' saloon,

the brave boy of the town,
bright-booted and drinking
to the envy of everyone.
'Shoot it out!' I shout
to the blind accordionist,
feeling unsteady, hot,
negligent of hardship.
Zinka the barmaid
shifts her shoulders about.

The old prospector has
emptiness in his glass,
he wipes his mouth and cries
because he has told lies.

And shall I also slump
my head on the table,
be down to nothing,
and be crying?
I can go on unstable,
walking light for a while.
Zinka gives me a smile.

I am Siberian,
I have eaten my bread
with wild garlic, I dragged
a boat when I was a boy
like men. Anybody shout
and the ferry-boat ran out on the Oká:
a wire hawser smouldered between my hands.
I was all forehead and arms,
and banging in rivets,
and digging, and my spade was deep-bladed.
No one yelled at me or told me rubbish,
I got my axe and I was taught to work.
If I got hit for not getting good wood,
they loved and cared about me, so why not?
I have been used to stooping and sweating,
to a pickaxe and hatchet and sickle.
No insult frightens me.
My own anguish does not frighten me.
I have toughened my hands,
my hands are as strong as machinery.
Oh I dare anything,
laugh down my enemies,
because I know,
because I can.

I give but I never give in.
Sometimes I don't pick up the pen,
my mouth tires itself into dumbness:
I am terrified of this.

But I see: full of pain and of longing
and the despair of human expression,
unearthly lines of branches flutter on
the wall above my head.

Lying awake must listen to snowfall
unheard messages personal voices
the individual clanking of the trams
melancholy among the snow noises.

Tattered posters whispering,
steel girders in the roofs half roaring,
the water in the pipes trying to sing,
wire beyond wire impotent moaning.

There are those to whom life has been hard,
not everything can be said in them:
they are alone, they keep silent,
or moan as painfully themselves.

The night of lying awake has this use:
there are no other words to help them with,
unless I can through duty and through love
be tree and tram and the human race;

and I am back at my desk again
and can be their spoken expression,
in whose troubles in whose battles at last
I rest expressed.

Unreconciled

I shall use all my strength,
but will not for a long time be recognised:
shall be the friend and enemy of life.
And I can feel no crass anxiety:
my debt is to the future.
To much I neither can nor do consent.
Let it get rough, tell me 'Keep quiet'—
I want to have a great cause for my quarrel,
no triviality. I feel
drunk because of my own strength,
can laugh at vanity
(those hollowed out particular glories)
and to get stronger I show my weakness,
go on a road where misfortune happens
and marked 'No way through' for careers:
but young, unbending, and unreconciled.

I shall not snivel, have no tears to drop,
would not annihilate the universe
because I want success, because success
doesn't want me: I shan't leave it in peace.
I claim it and will prove my ownership,
will harass it and will not be disowned,
will have it on its knees in front of me.
I wish time may pass, I wish my time
may not linger but pass, not look back;
may I amaze, be in my turn amazed.
This wish is powerful. May there be beauty
of life in life, of dreams in sleeping dreams.
Oh people I wish well: then wish me well.

I lie flat out, sprawled on the damp ground,
embracing a spade in a loose arm,
turning a grass-stem over in my mouth
to suck the sharpish flavour of the grass.
Digging this damned ground. No spade can stand it.
I have an overwhelming wish to sleep,
it would be wrong to sleep.
                              'Look at this beauty!
And can't the poor boy stand up on his legs?'
The booted girl in the sky-coloured jersey,
possessed with laughter. Now to make it worse
starting a song. Sing-song song.
          'When I find my love
          I shall torment him.'
                              Everyone laughs.
'The snake! Annie you've let it out my dear . . . '
And maybe I alone speak from knowledge:
I and the stars and the currant-bushes,
how she comes with me to the night forest
among the spiced currants, using her hands
to part the long grass, moving like a drunk,
how weak and clumsy, dropping her brown arms,
she speaks with gentleness and with confusion.

Always some boy or other happens past,
the born untalented: the thing they worship
nags back at them like a stepmother,
and they feel it, it hurts, year by year
they struggle for their right, and even still
their voice has young, pink, unreliable cheeks.
They are moved and concerned by everything,
they live with their doubts in the open,
they, the adopted children, will not keep
silent when a son would keep silent.
Alien to them the lovers of quiet,
the self-fugitives.
They know the thing we need
from top to bottom of their skin,
not how to set about it. When
the lack of talent ruins its own cause,
doggedly, clumsily fighting for truth—
at such times I am ashamed for talent.

I do not know what he wants:
only that he is not far off,
walking close to me, holding an apple.
I exhaust myself to no purpose:
he walks without tiring;
and once across a crowded trolleybus
I saw him hand my ticket and my change.
He is open-eyed, he hears every sound,
nothing gets past him, he is ignorant
only of this: his great predestiny.
The world is waiting for him,
its wishes and griefs are for him,
as yet unrecognised: he goes on
walking the street, chewing his tough apple.
And I am shy to think of that moment
when he will know his rights,
be recognised, will dawn over the world,
to speak new words.

Knock at the door

'Who is it?'
   'Age,
     coming for you.'
'Come later on.
    Too busy.
       Things to do.'
To write
   To telephone
      eat an omelette.
No one was waiting when I opened up.
Was it a joke?
    Did I get
      the name wrong?
Can it have been
    maturity
      that came
and sighed
   and wouldn't wait
      and has gone?

Red woollen cap, inadequate overcoat,
look at that lad coming out of the gate
cracking an icicle between his teeth,
(frozen teeth and a taste of the roof),
look at him stepping over puddles,
watch him smile when he looks up at the dawn.
Who does he love? Who does he make friends with?
What does he want from life? They skilfully
distracted him from that aching question.
But diligent critics expounded
a theory of absolute non-conflict.
The road lay level and exact.
This ponderous falsehood gave him confidence,
and yet the string of contradiction might
end him in disbelief.

He stood square,
with open eyes, and will forget nothing.
All untruth is his declared
enemy, it cannot hide from him.
A lie is like a liniment,
you rub and rub it in, you smell of it,
it takes over, you never realise:
that shameful farce billed as the great and true.
It sits as judge, is sterner than a judge,
it brands men, it glares into its notes,
blowing and swelling gas and exaltation
and a sweet rotten taste like lemonade.
Year by year now things are getting harder:
the twisting and turning of the lie
cannot now hide what was created
by the people, in the name of truth, which
is no lie. The tricks and the smiles
and the attentions and the variations
are to that lad a mask of a known face.

He mixes in the enormous brightly coloured
commotion. Look at him come through the gate,
cap dripping; the street is noisy;
the spirited, painful
people around him think of the same thing,
with grief, and the one wish,
and the one crunching of the late spring ice.

Let us be great!

TO E. NEIZVESTNY

I ask of doctors and of dock-workers
and of whoever stitches up my coat,
things should be done with magnificence.
It is no matter what a thing is,
nothing should be mediocre
down from buildings to pairs of rubber boots.
The mediocre is unnatural.
What is false is not natural.
Command yourself. Be famous.
The lack of greatness is matter for shame.
They shall
      every
         one
            be great.

And when I stuck a poem on a branch
it hung fluttering, the wind left it.
'Please do take it off,' you said, 'don't be stupid,
people are coming.'
                    And they were surprised.
A tree waving a poem.
No time for arguing. We had to go.
'You won't remember it tomorrow.'
'Tomorrow I can write a new poem:
so why worry about such a nothing?
A poem is no burden to a branch.
I'll write as many poems as you ask,
I shall write you a forest of verses.'
And in the end what will become of us?
Soon to forget? In the time of our trouble,
think how somewhere in sudden inspiration
a tree is waving a poem.
And we can smile. We have to go.

20

Wandering in the crush of the capital
above the excited April river,
illogical to the point of irritation
and younger than can be forgiven,
I fight my way home on to a tram.
I am carried away, I tell lies,
I run yet cannot keep up with myself.
I am startled by the big flanks of barges,
by passing planes, by my own poems.
I have come under a shower of riches
and do not yet know what to do with them.

Dog

Squeezing his black nose on the window-pane:
this dog waiting and waiting for someone.

I am burying my hand into his fur,
I too am waiting for someone.

You remember dog that a woman
lived here at one time,

of whom I am not able to say
what in the end she was to me:

whether she was a wife or a sister
or maybe like a growing daughter.

She has gone. You settle quietly.
There will be no other women here.

My splendid dog, so good at everything:
what a pity it is you don't drink.

The last mammoth

Clumsily step by step along the ridge
he moved above an ice-blocked river.
And there had been so many at one time.
Magnificent.
He was the last of them.
And had endured so many storm seasons,
but on this day grew sullen and weakened.
There was a bush of arrows in his hide:
it all seemed suddenly difficult.
He tried weakly to trumpet,
to shudder echoes in the far distance,
was hoarse-voiced, collapsed onto one side,
and the arrows drove deeper into him.
Already they came trembling at his hide.
A good carver sliced his carcase up
ripping the meat out with a sharpened stone.
If they had known. The grizzled, looming mammoth
would have had their descendents captivated:
oh how he would have acted the pin-striped
administrative elephant off the stage.
If they had known: those dying unsurrendered
war-toughened tusks of his unbearable
charges would be preserved behind glass . . .

Cowards have thin opportunities:
keeping silent will not make them famous,
now and again they must be brave
to be prudent.
The viper imitates the falcon's feathers
playing the fashion, twisting his body
into the shapes of courage as of lies.

There is an emptiness
in the failure of sensation
in the deaths of the horizon,
staring sleepily into your sorrow,
an asleep kind of unhappiness.
There is a different emptiness,
nothing can be as holy as this,
it has light in it and many noises,
it is compact of depth and of height.

Good to be in the Crimea,
living cut off—a casual orbit,
rising and falling orbit like a tide.
Good to take hold of this heather
which is like pigeon-grey smoke.
Good that you won't believe how I love you.
I wander off for miles in the mountains,
pick pears, I am not depressed
by the loneliness of picking pears.
I am sad and easy.
I pull the pink fruit like a thirsty kid
to get the oblong coldness in my throat.
Maybe I lie up in a hut somewhere:
I find myself so utterly empty
I am not able to hear anything
except the private beating of my pulse.
How much more happy than the world's commotion
is fulfilled pleasure, and the peace and light
of emptiness, living to be fulfilled.

Russian Nature✗

The slowness of nature in Russia.
Water running as slowly as honey.
And water-mills. Slowly.
Mills of sloth.
My everlasting hurry has become
pitiable in face of you,
O Russian nature, O wise one.
You win without a fuss
or panic, by the power of slowness.
I see a wood with thin trickles of light
where an owl perches all day on one branch.
My fate is written in its eyes.
The dull lights of the rotting timber
are toy lights of a far-off city.
Lilies of the valley stand around
on their thin legs. When my time
runs out I ask, do not be sad,
part with me simply and without sorrow.
I shall not die. O Russian nature
take my Russian nature into yourself.

Trees

Boots weigh like lead, and the snow
lies utterly trodden in on the pavement,
a board fence has swollen, dislocating
loose boards like old swine into the mud.
But above where the roadway is bare mud
there are the trees standing in virgin snow,
high, aloof and sufficient.
The mud is terrified of touching them.
Snow was right. It fell as it should fall.
Trees are above the mud and can be seen
sticking branches as downy as antlers
out into the stars and the blue sky.
The trees are lighting up the entire town
(they reveal a town subject to mud),
they write their smoky lines into our soul,
communicating something from childhood.
Everything is bogged down in mud,
the wheels, the overshoes, the tempers;
it makes no difference to the trees—
they are the constructions of purity.
The snow is heavy in its way
but the youth and the lightness of the trees
has no fragility and will not break,
it is serene, honourable courage.
They are not crushed by the wonderful weight,
what is living lives by it:
it is the only, the unaided cause
of loftiness
high up over the roadway and the mud.

The Demonstration✕

My friend and I threading
through a Moscow morning
deeply in conversation in the swept street.
To assemble at eight.
And it was touching that
the laconic police
impenetrable faces
should hold us back.
That honesty took us thirty minutes
before we could drum in
we were standing
beside our Institute:
we lived there, we were all but born in it:
were who we were.
                    So far it was funny.
Across the warm asphalt
through the increasing crowd
rush into place. Laughing,
many voices: who's come in overcoats?
Who wants the banner? Which of us is tallest?
March.
        The quivering column
swam slowly forward under its flags,
thin column draining into giant column
swept into one colossal column,
a long movement broken up by music.
And hanging back one moment in her circle
a girl from the tech fluttered out in a dance
with a delicate rhythm in her shoulders.
Everyone was pleased with everything:
the Minister on foot,
the little boy clutching the red cock

riding by on top of his father.
People running, people marching,
when suddenly nearly at Pushkin Street
some busy-bodied deep-toned loud-speaker
gave voice to prophesy over the columns
out of mid-heaven in a dismal roar.
'Easy.
    Easy!
        Let's have some order.
I can't see flowers. Where are your flowers?'
Can it be possible? Well what the devil . . .
It does matter.
          It's not of no importance.
And even where there's no verbal feeling
there should be some feeling. We strip too much
off beauty with
        'Let's have some order.
I see no flowers. Where are your flowers?'

Humour

Tsars, emperors, kings,
they to whom the whole world was subject
commanded their parades:
they were not able to command humour.
In the great, honourable houses
where whole lives are lived in luxury
wandering Aesop beggared them all.
And in houses where the bigot has left
the ghastly print of his subservient feet
Hodja Nasreddin with his jokes
knocked vulgarity's chessmen about.
They tried to buy humour: no one buys him.
They tried to murder humour: the reply
was a gesture of extreme obscenity.
They fought humour (which was hard going),
continually executed him
held the chopped head high skewered on a pike,
but the moment the clowning began
humour yelled 'Here I come!'
and launched into an abandoned dance.
He was a political prisoner,
and wearing the squalid, short jacket,
his head hanging, he seeming to repent
was taken to his execution.
He was the picture of submission,
quite ready for the other world,
when suddenly he slid from his jacket
and waved one hand, and he was off.
They hid humour inside a prison,
but that was damn all use.
He came straight out of his cage
and walked right through the granite wall.

He was a private coughing up his lungs,
who with his rifle and a bawdy song
marched once on the Winter Palace.
He's used to glaring looks, they do no harm,
and humour can look at himself
humorously at times.
He is everlasting, lithe, fast,
will go through everything, through everyone.
Praise humour. He has his courage.

The graves of the partisans ✗

This is how I like it:
living here at Zima Junction,
waking before dawn, riding somewhere
on a lorry-tail among the scatterings
of grain, to drop off in the forest.
I peer into summer,
discovering a wonder in myself
at the earthiness of the earth.
Cranberries
smoulder uneasily in the grass.
Rose-hips burn to scarlet pellets
furry inside, as intricate as moss.
Everything is saying
'have some sense'.
Everything is saying
'don't be too clever'.
I make myself over
to peace and to order,
to liberty,
to gravity;
then step into a clearing: quietness,
an obelisk,
        a star.
The graves of the partisans lie asleep
among the birch groves and wild raspberries.
Death works his magic.
Oh may you who are burdened
come to these graves under the weight you carry,
it will be sad and light,
you too will see clearly
             distantly.
I read the names.

Nastya Klevstova.
Pyotr Belomestnykh. Maxim Kuzmichov.
Over them all this solemn lettering:
'Who died courageously for Marxism.'
Consider this inscription.
Long ago in the year 1919
some simple man but who could read and write
spelt slowly out his universal truth.
They none of them read Marx:
they believed in the existence of a God:
they went to war and thrashed the upper classes,
as things turned out Marxist is what they were . . .
·Who died for a new, young world:
Siberian peasants, cross around their necks,
lying dead under not the cross
but a proletarian red-painted star.
And I stand here with my shoes in the dew,
ageing in one morning. I have passed
the whole examination in Marxism.
Or not the whole of it.
Say goodbye to the graves of the partisans.
You have helped me in every way you can.
And I have still to search, still to suffer;
the world is waiting for this,
its birds are whistling in the wet branches,
expecting courage.
The world is everlasting.
The living, thinking of the dead,
the dead, of the living.

The Poems in
the original Russian

Рождество на Монмартре

Я рождество встречаю на Монмартре.
Я без друзей сегодня и родных.
Заснеженно и слякотно, как в марте,
и конфетти летит за воротник.

Я никому не нужен и неведом.
Кто я и что — Монмартру все равно.
И женщина в бассейне под навесом
ныряет за монетами на дно.

Красны глаза усталые от хлора.
Монеты, эти оставляют ей.
Простите мне, что не могу я хлопать.
Мне страшно за себя и за людей.

Мне страшно, понимаете вы, страшно,
как пристает та девочка ко мне,
как, дергаясь измученно и странно,
старушка бьет по клавишам в кафе,

и как, проформалиненный отменно,
покоится на досках мертвый кит,
как глаз его, положенный отдельно,
с людской тоскою на кита глядит.

Вот балаганчик.
                Пьяниц осовевших
там ожидает маленький сюрприз.
Две женщины замерзших, посиневших
За франк им демонстрируют стриптиз.

Сквозь двери то и дело залетает
порывистая мокрая метель,
и в перерывах женщины глотают
за сценою из горлышка «мартель».

А вот сулит, наверное, потеху
аттракцион с названьем «Лабиринт».
Там люди ищут выхода, потея,
но это посложней чем логарифм.

Как тычутся мальчишки и девчонки!
Как все по лабиринту разбрелись!
Аттракцион? Игра? Какого черта!
Назвать бы это надо было: «Жизнь».

И среди визга, хохота и танцев
по ненадежной, скользкой мостовой
идет старик с игрушечною таксой,
как будто он идет вдвоем с тоской.

Какой-то господин, одетый в смокинг,
бредет сквозь все в похмельном полусне...
И всюду столько-столько одиноких!
не страшно — жутко делается мне.

Все сами по себе, все — справа, слева...
Все сами по себе — двадцатый век.
И сам Париж под конфетти и снегом —
усталый одинокий человек.

Париж

Верлен

Мне гид цитирует Верлена,
Париж рукою обводя,
так умиленно,
        так елейно
под шелест легкого дождя.
И эти строки невозвратно
журчат, как звездная вода...
«Мосье,
        ну как,
                звучит приятно?»
Киваю я:
        «Приятно... Да...»
Плохая память у Парижа,
и, как сам бог теперь велел,
у буржуа на полках книжных
стоит веленевый Верлен.
Приятно,
        выпив джина с джусом
и предвкушая крепкий сон,
вслух поцитировать со вкусом...
Верлена чтить —
                хороший тон!
Приятно, да?
                Но я припас вам
не вашу память,
                а свою.
Был вам большая неприятность
Верлен.
        Я вас не узнаю.
Он не укладывался в рамки
благочестиво лживых фраз,

а он прикладывался к рюмке
и был безнравственным для вас.
Сужу об зтом слишком быстро?
Кривитесь вы...

            Приятно, да?
Убило медленным убийством
его все это, господа.
Его убило все, что било
насмешками из-за угла,
все, что моралью вашей было,
испепеляющей дотла.
Вы под Верлена выпиваете
с набитым плотно животом.
Вы всех поэтов убиваете,
чтобы цитировать потом!

Париж

Мопассан

Е. Е.

Лоснится черный верх фиакра.
Парижский дождь туманно сиз.
И, как озябшая фиалка,
гризетка жмется под карниз.

Трещат и гнутся дерева.
Он едет. Ждут его в салоне.
Он приготовился. Сегодня
он станет Жоржем Дюруа.

Он знает все — как снять цилиндр,
и как в цилиндр перчатки кинуть,
и в зеркале себя окинуть, —
и в зал, где музыка царит.

И, весь как слух и осязанье,
среди колонн и севрских ваз
от госпожи Вальтер к Сюзанне
скользнуть, как лезвие, сквозь вальс.

И это надо, это надо
ей в шуме шалости шептать
и ручку весело и нагло,
склоняясь, усом щекотать.

То влево двигаясь, то вправо,
то тех, то этих женщин зля,
он все рассчитывает здраво.
Он понимает — все не зря.

Не зря он с этими и с теми.
Не зря нахально и легко
он держит, как цветок за стебель,
бокал с искрящимся «клико».

Не зря с мерцающей розеткой
он, элегантный как виконт,
во время позднего разъезда
над чьей-то шляпкой держит зонт.

Но вот он дома — среди книг,
чернил, бумаг… Пора за дело!
Играть виконта надоело.
Теперь он трезв, как зеленщик.

Дрова в камине пламя лижет,
а за окном — ни лиц, ни крыш.
Еще как будто нет Парижа.
Написан будет им Париж!

Стреляют мокрые дрова.
Он пишет свой роман, и странно
висит на стуле Мопассана
одежда Жоржа Дюруа…

Парижские девочки

Какие девочки в Париже,
                        черт возьми!
И черт —
        он с удовольствием их взял бы!
Они так ослепительны,
                как залпы
средь фейерверка уличной войны.
Война за то, чтоб, царственно курсируя,
всем телом ощущать, как ты царишь.
Война за то, чтоб самой быть красивою,
за то, чтоб стать «мадмуазель Париж»!
Вон та —
та с голубыми волосами,
в ковбойских брючках там на мостовой!
В окно автобуса по пояс вылезаем,
да так, что гид качает головой.
Стиляжек наших платья —
                        дилетантские.
Тут черт те что!
                Тут все наоборот!
И кое-кто из членов делегации,
про «бдительность» забыв, разинул рот.
Покачивая мастерски боками,
они плывут, загадочны,
                        как Будды,
и, будто бы соломинки в бокалах,
стоят в прозрачных телефонных будках.
Вон та идет —
Из-под папахи чуб
                лилово-рыж.
Откуда эта?
        Кто ее папаша?

Ее папаша — это сам Париж.
Но что это за женщина вон там,
по замершему движется Монмартру?
Всей Франции

она не по карману.
Эй, улицы, —

понятно это вам?!
Ты, не считаясь ни чуть-чуть с границами,
идешь Парижем, ставшая судьбой,
с глазами красноярскими гранитными
и шрамом, чуть заметным над губой.
Вся строгая,

идешь средь гама яркого,
и, если бы я был сейчас Париж,
тебе я, как Парис,

поднес бы яблоко,
хотя я, к сожаленью, не Парис.
Какие девочки в Париже —

ай-ай-ай!
Какие девочки в Париже —

просто жарко!
Но ты не хмурься на меня

и знай:
ты —
лучшая в Париже
парижанка!

Париж

И. Глазунову

Когда я думаю о Блоке,
когда тоскую по нему,
то вспоминаю я не строки,
а мост, пролетку и Неву.
И над ночными голосами
чеканный облик седока —
круги под страшными глазами
и черный очерк сюртука.
Летят навстречу светы, тени,
дробятся звезды в мостовых,
и что-то выше чем смятенье,
в сплетенье пальцев восковых.
И, как в загадочном прологе,
чья суть смутна и глубока,
в тумане тают стук пролетки,
булыжник, Блок и облака.

Он вернулся из долгого
отлученья от нас
и, затолканный толками,
пьет со мною сейчас.
Он отец мне по возрасту.
По призванию брат.
Невеселые волосы.
Пиджачок мешковат.
Вижу руки подробные,
все по ним узною,
и глаза исподбровные
смотрят в душу мою.
Нет покуда и комнаты,
и еда не жирна.
За жокея какого-то
замуж вышла жена.
Я об этом не спрашиваю.
Сам о женщине той
поминает со страшною,
неживой простотой.
Жадно слушает радио,
за печатью следит.
Все в нем дышит характером,
интересом гудит...
Пусть обида и лютая,
пусть ему не везло,
верит он в Революцию
убежденно и зло.
Я сижу растревоженный,
говорить пе могу...
В черной курточке кожаной
он уходит в пургу.
И, не сбитый обидою,
я живу и борюсь.
Никому не завидую,
ничего не боюсь.

Ограда

В. Луговскому

Могила,
ты ограблена оградой.
Ограда, отделила ты его
от грома грузовых,

от груш,

от града
агатовых смородин.

От всего,
что в нем переливалось, мчалось, билось,
как искры из-под бешеных копыт.
Все это было буйный быт —

не бытность.
И битвы —

это тоже было быт.
Был хряск рессор

и взрывы конских храпов,
покой прудов

и сталкиванье льдов,
азарт базаров

и сохранность храмов,
прибой садов

и груды городов.
Он шел,

другим оставив суетиться.
Крепка была походка и легка
серебряноголового артиста
со смуглыми щеками моряка.
Пушкинианец, вольно и велико
он и у тяжких горестей в кольце
был как большая детская улыбка
у мученика века на лице.
И знаю я — та тихая могила

не пристань для печальных чьих-то лиц.
Она навек неистово магнитна
для мальчиков, цветов, семян и птиц.
Могила,

       ты ограблена оградой,
но видел я в осенней тишине:
там две сосны растут, как сестры, рядом —
одна в ограде и другая вне.
И непреоборимыми рывками,
ограду обвиняя в воровстве,
та, что в ограде, тянется руками
к не ограждённой от людей сестре.
Не помешать ей никакою рубкой!
Обрубят ветви —

             отрастут опять.
И кажется мне —

           это его руки
людей и сосны тянутся обнять.
Всех тех, кто жил, как он, другим наградой,
от горестей земных, земных отрад
не отгородишь никакой оградой.
На свете нет еще таких оград.

Я у рудничной чайной,
у косого плетня,
молодой и отчаянный,
расседлаю коня.
О железную скобку
сапоги оботру,
закажу себе стопку
и достану махру.

Два алтайца коричневых
чай дымящийся пьют,
и студенты столичные
хором песни поют,
и, невзрачный, потешный,
странноватый на вид,
старикашка подсевший
мне бессвязно твердит,
как в парах самогонных
в синеватом дыму
золотой самородок
являлся ему,
как, раскрыв свою сумку,
после сотой версты
самородком он стукнул
в кабаке о весы,
как шалавых девчонок
за собою водил
и в портянках парчовых
по Иркутску ходил...

В старой рудничной чайной
городским хвастуном,
молодой и отчаянный,
я сижу за столом.

[67]

Пью на зависть любому,
и блестят сапоги.
Гармонисту слепому
я кричу: «Сыпани!»
Горячо мне и зыбко
и беда нипочем,
а буфетчица Зинка
все поводит плечом.

С пустотою в стакане,
чем-то вымазав рот,
плачет старый старатель
оттого, что он врет.

Может, тоже заплачу
и на стол упаду,
все, что было, истрачу,
ничего не найду.

Но пока что мне зыбко
и легко на земле
и буфетчица Зинка
улыбается мне.

Я сибирской породы.
Ел я хлеб с черемшой
и мальчишкой
   паромы
тянул, как большой.
Раздавалась команда.
Шел паром по Оке.*
От стального каната
были руки в огне.
Мускулистый,
   лобастый,
я заклепки клепал
и глубокой лопатой,
где велели,
   копал.
На меня не кричали,
не плели ерунду,
а топор мне вручали,
приучали к труду.
А уж если и били
за плохие дрова —
потому, что любили
и желали добра.
До десятого пота
гнулся я под кулем.
Я косою работал,
колуном и кайлом.
Не боюсь я обиды,
не боюсь я тоски.
Мои руки оббиты
и сильны, как тиски.
Все на свете я смею,
усмехаюсь врагу
потому, что умею,
потому, что могу.

* *Ока* — река в Восточной Сибири.

Я не сдаюсь, но все-таки сдаю.
Я в руки брать перо перестаю,
и на мои усталые уста
пугающе нисходит немота.

Но вижу я, как с болью и тоской,
полны неизреченности людской,
дрожат на стенах комнаты моей
магические контуры ветвей.

Но слышу я, улегшийся в постель,
как что-то хочет сообщить метель
и как трамваи в шуме снеговом
звенят печально — каждый о своем

Пытаются шептать клочки афиш.
Пытается кричать железо крыш,
и в трубах петь пытается вода,
и так мычат бессильно провода.

И люди тоже, если плохо им,
не могут рассказать всего другим.
Наедине с собой они молчат
или вот так же горестно мычат...

И мне не зря не спится в эту ночь.
И для того, чтобы им всем помочь,
я должен быть по долгу и любви
деревьями, трамваями, людьми!

И вот я снова за столом моим.
Я — как возможность высказаться им.
А высказать других, борхсь, любх,
и есть возможность высказать себя.

Непримиримость

Все силы даже прилагая,
признанья долго я прожду.
Я жизни дружбу предлагаю,
но предлагаю и вражду.
Не по-мещански сокрушаясь,
а у грядущего в долгу
со многим я не соглашаюсь
и согласиться не могу.
Пускай не раз придется круто,
и скажут:
             «Лучше б помолчал...»
Хочу я ссориться по крупной
и не хочу
             по мелочам.
От силы собственной хмелею.
Смеюсь над спесью дутых слав.
И, чтобы стать еще сильнее,
я не скрываю, чем я слаб.
И для карьер неприменимой
дорогой,
             обданной бедой,
иду,
       прямой,
                 непримиримый,
что означает —
                 молодой.

Не захнычу
        и не заплачу,
все другое на свете черня,
оттого, что люблю я удачу,
а удача не любит меня.
Я в покое ее не оставлю.
Докажу: что мое, то мое.
Загоню! Подчиняться заставлю.
На колени поставлю ее!
Пусть летят мои дни, а не длятся
и назад не приходят опять...
Ах, как хочется удивляться!
Ах, как хочется удивлять!
Пусть и в жизни красивое будет
и красивое снится во сне...
Я хочу вам хорошего, люди.
Пожелайте хорошего мне.

13

Т. Мазурину

Я на сырой земле лежу
в обнимочку с лопатою.
Во рту травинку я держу,
травинку кисловатую.
Такой проклятый грунт копать —
лопата поломается,
и очень хочется мне спать,
а спать не полагается.

«Что,
        не стоится на ногах?
Взгляните на голубчика!» —
хохочет девка в сапогах
и в маечке голубенькой.
Заводит песню на беду,
певучую-певучую:
«Когда я милого найду,
уж я его помучаю».
Смеются все:
                «Ну и змея!
Ну, Анька,
                и сморозила!»
И знаю разве только я,
да звезды, и смородина,
как, в лес ночной со мной входя,
в смородинники пряные,
траву
        руками
                разводя,
идет она, что пьяная.
Как, неумела и слаба,
роняя руки смуглые,
мне говорит она слова
красивые и смутные.

[73]

При каждом деле есть случайный мальчик.
Таким судьба таланта не дала,
и к ним с крутой неласковостью мачех
относятся любимые дела.

Они переживают это остро,
годами бьются за свои права,
но, как и прежде, выглядят невзросло
предательски румяные слова.

У них за все усердная тревога.
Они живут, сомнений не тая,
и, пасынки, они молчать не могут,
когда молчат о чем-то сыновья.

Им чужды те, кто лишь покою рады,
кто от себя же убежать не прочь.
Они всей кожей чувствуют, что́ надо,
но не умеют этому помочь.

Когда порою, без толку стараясь,
все дело неумелостью губя,
идет на бой за правду бесталанность —
талантливость, мне стыдно за тебя.

Не знаю я,
    чего он хочет,
но знаю —
    он невдалеке.
Он где-то рядом,
    рядом ходит
и держит яблоко в руке.
Пока я даром силы трачу,
он ходит,
    он не устает,
в билет обернутую сдачу
в троллейбусе передает.
Он смотрит,
    ловит каждый шорох,
не упускает ничего,
не понимающий большого
предназначенья своего.
Все в мире ждет его,
    желает,
о нем,
    неузнанном,
      грустит,
а он по улицам гуляет
и крепким яблоком хрустит.
Но я робею перед мигом,
когда, поняв свои права,
он встанет,
    узнанный
      над миром
и скажет новые слова.

Стук в дверь

«Кто там?» —

«Я старость,

я к тебе пришла».

«Потом.

Я занят.

У меня дела».

Писал.

Звонил.

Уничтожал омлет.

Открыл я дверь,

но никого там нет.

Шутили, может, надо мной друзья?

А может, имя не расслышал я?!

Не старость —

это зрелость здесь была,

не дождалась,

вздохнула

и ушла?!...

В пальто незимнем,

           в кепке рыжей
выходит парень из ворот.
Сосульку,

          пахнущую крышей,
он в зубы зябкие берет.
Он перешагивает лужи,
он улыбается заре.
Кого он любит?

            С кем он дружит?
Чего он хочет на земле?
Его умело отводили
от наболевших «почему».
Усердно критики твердили
о бесконфликтности ему.
Он был заверен ложью веской
в предельной гладкости пути,
но череда несоответствий
могла к безверью привести.
Он устоял.

         Он глаз не прятал.
Он не забудет ничего.
Заклятый враг его —

              неправда,
и ей не скрыться от него.
Втираясь к людям, как родная,
она украдкой гнет свое,
большую правду подменяя
игрой постыдною в нее.
Клеймит людей судом суровым.
Вздувает, глядя на листок,
перенасыщенный сиропом
свой газированный восторг.
Ей все труднее с каждым годом.

Не скроют ложь и виражи
того, что создано народом
во имя правды, а не лжи.
Ее уловки и улыбки,
ее искательность и прыть
для парня этого —
                    улики,
чтобы лицо ее открыть.
В большое пестрое кипенье
выходит парень из ворот.
Он в кепке,
            мокрой от капели,
по громким улицам идет.
И рядом
        с болью и весельем
о том же думают, грустят
и тем же льдом хрустят весенним,
того же самого хотят.

Будем великими!

Э. Неизвестному

Требую с грузчика,
            с доктора,
с того, кто мне шьет пальто, —
все надо делать здорово —
это неважно что!
Ничто не должно быть посредственно —
от зданий
            и до галош.
Посредственность неестественна,
как неестественна ложь.
Сами себе велите
славу свою добыть.
Стыдно не быть великим.
Каждый им должен быть!

Стихотворенье
              надел я на ветку.
Бьется оно,
         не дается ветру.
Просишь:
       — Сними его,
              не шути. —
Люди идут.
        Глядят с удивленьем.
Дерево
    машет
        стихотвореньем.
Спорить не надо.
        Надо идти.
— Ты ведь не помнишь его...
                  — Это правда,
Но я напишу тебе новое завтра.
Стоит бояться таких пустяков!
Стихотворенье для ветки не тяжесть.
Я напишу тебе, сколько ты скажешь.
Сколько деревьев —
           столько стихов!
Как же с тобою дальше мы будем?
Может быть, это мы скоро забудем?
Нет,
    если плохо нам станет в пути,
вспомним,
        что где-то,
              полно озареньем,
дерево
    машет
        стихотвореньем,
и улыбнемся:
        — Надо идти.

[80]

Я шатаюсь в толкучке столичной
над веселой апрельской водой,
возмутительно нелогичный,
непростительно молодой.
Занимаю трамваи с бою,
увлеченно кому-то лгу,
и бегу я сам за собою
и догнать не могу.
Удивляюсь баржам бокастым,
самолетам,

стихам своим...

Наделили меня богатством.
Не сказали, что делать с ним.

Моей собаке

В стекло уткнувши черный нос,
все ждет и ждет кого-то пес.

Я руку в шерсть его кладу,
и тоже я кого-то жду.

Ты помнишь, пес, пора была,
когда здесь женщина жила.

Но кто же мне была она —
не то сестра, не то жена,

а иногда, казалось, — дочь,
которой должен я помочь.

Она далеко... Ты притих.
Не будет женшин здесь других.

Мой славный пес, ты всем хорош,
и только жаль, что ты не пьешь!

Последний мамонт

Ступал он трудно по отрогу
над ледовитою рекой.
Их было раньше,
   гордых,
     много,
и был последний он такой.
Не раз испробованный в буре,
сегодня сдал он, как назло.
Ему от стрел,
   торчащих в шкуре,
внезапно стало тяжело.
Он затрубить пытался слабо,
чтоб эхо вздрогнуло вдали,
но повалился с хрипом набок,
и стрелы
  глубже
    в бок вошли.
Уже над шкурой кто-то трясся,
и, занимаясь дележом,
умело кто-то резал мясо
тяжелым каменным ножом.
О, знали б люди эти если,
что мамонт,
   грозен и суров,
потомкам будет интересней
всех исполнительных слонов
и что испытанные в битве,
когда он мчался напролом,
еще не сдавшиеся бивни
храниться будут под стеклом!.

У трусов малые возможности,
Молчаньем славы не добыть,
и смелыми
из осторожности
подчас приходится им быть.
И лезут в соколы ужи,
сменив с учетом современности
приспособленчество ко лжи
приспособленчеством ко смелости.

Есть пустота от смерти чувств
и от потери горизонта,
когда глядишь на горе сонно
и сонно радостям ты чужд.
Но есть иная пустота.
Нет ничего ее священней.
В ней столько звуков и свечений.
В ней глубина и высота.

Мне хорошо, что я в Крыму
живу, себя от дел отринув,
в несуетящемся кругу,
кругу приливов и отливов.

Мне хорошо, что я ловлю
на сизый дым похожий вереск,
и хорошо, что ты не веришь,
как сильно я тебя люблю.

Иду я в горы далеко,
один в горах срываю груши,
но мне от этого не грустно, —
вернее, грустно, но легко.

Срываю розовый кизил
с такой мальчишескостью жадной!
Вот он по горлу заскользил —
продолговатый и прохладный.

Лежу в каком-то шалаше,
а на душе так пусто-пусто,
и только внутреннего пульса
биенье слышится в душе.

О, как над всею суетой
блаженна сладость напоенья
спокойной светлой пустотой —
предшественницей наполненья!

Русская природа

Как медленна ты,
　　　　　русская природа!
Вода струится
　　　　с медленностью меда.
Медленные мельницы,
мельницы-медленницы...
Природа русская,
　　　　　перед тобою,
　　　　　　вещей,
как жалок я
　　　　с моею спешкой вечной!
Не беготней,
　　　　　не суетой всечасной —
ты побеждаешь
　　　　　медленностью властной.
И вот я вижу рощу,
　　　　　свет процеживающую,
сову,
　　　на ветке целый день просиживающую,
Ее глаза судьбу мою таят.
Где светофоры светятся гнилушечные,
как городские фонари игрушечные,
на тонких ножках ландыши стоят.
Когда придет мой срок,
　　　　　не будьте грустными,
со мной расстаньтесь просто,
　　　　　не скорбя.
Я не умру!
　　　　Ты, как природу русскую,
природа русская,
　　　　прими в себя!

Деревья

Ботинки по-свинцовому грузны.
На тротуарах снег вконец затоптан,
и, разбухая, бревна у заборов,
как боровы, валяются в грязи.

Но гордо и возвышенно довлея
над обнаглевшей грязью мостовых,
стоят в снегу девическом деревья,
и грязь сама боится тронуть их.

Да, снег был прав — он не напрасно падал!
Они над этой грязью всем видны,
и ветви их, пушистые как панты,
до звездной синевы вознесены.

Они собой весь город освещают,
как будто грязи сдавшийся уже,
и дымчатостью линий сообщают
младенческую дымчатость душе.

Вокруг все грязью отягощено:
колеса, боты, даже настроенья,
а им как будто это все равно.
Они — из чистоты самой строенья.

У снега вроде тоже тяжесть есть,
но в них такая молодость и легкость,
и легкость их — не хрупкость и не ломкость,
а мужество спокойное и честь.

Отягощенность светлая не давит.
Она живыми делает живых.
Она одна-единственная дарит
возвышенность над грязью мостовых.

На демонстрации

По улице,
                красиво убранной,
ведя душевный разговор,
мы с другом шли Москвою утренней:
на восемь был назначен сбор.

Могли мы только умилиться,
как, не роняя лишних фраз,
ответработники милиции
с непроницаемыми лицами
не пропускали дальше нас.

И полчаса прошло, не менее,
пока в их честные умы
мы не вдолбили убеждение,
что рядом
                наше учреждение,
что в нем — мы чуть ли не с рождения,
что мы в действительности мы.

Мы только улыбались этому,
и в обрастающей гурьбе
мы по асфальту шли нагретому,
спеша на сборный пункт к себе.
Там смех звенел разноголосо
над теми,
                кто пришел в пальто.
«Кто понесет
                вот этот лозунг?
А ну —
                высокий самый кто?»

[89]

«Пошли!»
        И вот
                в знаменном трепете
колонна наша поплыла.
Потом с другой —
                большою —
                        встретилась,
потом
        в огромную
                вошла!
Движенье
        раздвигала
                музыка,
и в круг,
        немного погодя,
плясать
        выпархивала
                вузовка,
плечами зябко поводя.

Все так и радовало сердце —
и то, что наш министр —
                        пешком,
и то, что на отца уселся,
мальчишка с алым петушком.
Бежали,
        шли шагами крупными,
и вдруг нам встретился в пути
бас деловитый чей-то в рупоре
уже на Пушкинской почти.
Он,
        этот бас,
                в унылом рвенье
вещал колоннам с высоты:
«Спокойней!
                Выше оформленье!

Цветов не видно!

     Где цветы?!»

Ну разве можно так,

      ну что вы!

Нет, не пустяк,

     не все равно!

Ведь если нету чувства слова,

то просто чувство

      быть должно.

И многое

   мы, к сожаленью,

лишаем сами красоты

вот этим

    «Выше оформленье!

Цветов не видно!

     Где цветы?!»...

Юмор

Цари,
    короли,
        императоры,
властители всей земли,
командовали парадами,
но юмором —
        не могли.
В дворцы именитых особ,
все дни возлежащих выхоленно,
являлся бродяга — Эзоп,
и нищими они выглядели.
В домах,
    где ханжа наследил
своими ногами щуплыми,
всю пошлость
        Ходжа Насреддин
сшибал,
    как шахматы,
        шутками!
Хотели
    юмор
        купить —
да только его не купишь!
Хотели
    юмор
        убить,
а юмор
    показывал
        кукиш!
Бороться с ним —
        дело трудное.
Казнили его без конца.

[92]

Его голова отрубленная
Торчала на пике стрельца.
Но лишь скоморошьи дудочки
свой начинали сказ,
он звонко кричал:
           «Я туточки!» —
и лихо пускался в пляс.
В потрепанном куцем пальтишке,
понурясь
         и вроде каясь,
преступником политическим
он,
    пойманный,
           шел на казнь.
Всем видом покорность выказывал,
готов к неземному житью,
как вдруг
       из пальтишка
              выскальзывал,
рукою махал
        и — тю-тю!
Юмор
    прятали
        в камеры,
но черта с два удалось.
Решетки и стены каменные
он проходил насквозь.
Откашливаясь простуженно,
как рядовой боец,
шагал он
         частушкой-простушкой
с винтовкой на Зимний дворец.
Привык он ко взглядам сумрачным,
но это ему не вредит,
и сам на себя
        с юмором
юмор порой глядит.

Он вечен.

       Он, ловок и юрок,

пройдет через всё,

           через всех.

Итак —

     да славится юмор.

Он —

     мужественный человек.

Партизанские могилы

Б. Моргунову

Итак,
живу на станции Зима.
Встаю до света —
               нравится мне это.
В грузовике на россыпях зерна
куда-то еду,
           вылезаю где-то,
вхожу в тайгу,
            разглядываю лето
и удивляюсь, как земля земна!
Брусничинки в траве тревожно тлеют,
и ягоды шиповника алеют
с мохнатинками рыжими внутри.
Все говорит как будто:
             «Будь мудрее
и в то же время слишком не мудри!»
Отпущенный бессмысленной тщетой,
я отдаюсь покою и порядку,
торжественности вольной и святой
и выхожу на тихую полянку,
где обелиск белеет со звездой.
Среди берез и зарослей малины
вы спите,
         партизанские могилы.
Есть магия могил.
         У их подножий,
пусть и пришел ты, сгорбленный под ношей,
вдруг делается грустно и легко
и смотришь глубоко и далеко.
Читаю имена:
         «Клевцова Настя»,
«Петр Беломестных»,

[95]

«Кузьмичев Максим», —
а надо всем торжественная надпись:
«Погибли смертью храбрых за марксизм».
Задумываюсь я над этой надписью.
Ее в году далеком девятнадцатом
наивный грамотей с пыхтеньем вывел
и в этом правду жизненную видел.
Они, конечно,

    Маркса не читали
и то, что есть на свете бог,

      считали,
но шли сражаться

      и буржуев били,
и получилось,

     что марксисты были...
За мир погибнув новый, молодой,
лежат они, сибирские крестьяне,
с крестами на груди

      не под крестами —
под пролетарской красною звездой.
И я стою с ботинками в росе,
за этот час намного старше ставший
и все зачеты по марксизму сдавший
и все-таки, наверное, не все. . .
Прощайте,

   партизанские могилы!
Вы помогли мне всем, чем лишь могли вы.
Прощайте!

    Мне еще искать и мучиться.
Мир ждет меня,

    моей борьбы и мужества.
Мир с пеньем птиц,

     с шуршаньем веток

       мокрых,
с торжественным бессмертием своим,
мир, где живые думают о мертых
и помогают мертвые живым.